Câlinours a une pièce d'or.
Il peut aller faire les courses.
Il prend son panier d'osier.
Il s'en va à travers champs
et il chante à plein gosier :

Loi numéro 49 956 du 16 juillet 1949 sur les publications
destinées à la jeunesse : avril 1987
Dépôt légal : mars 2006
Imprimé en Italie par Editoriale Lloyd à Trieste

Alain Broutin

Calinours va faire les courses

illustré par Frédéric Stehr

Petite bibliothèque de l'école des loisirs
11, rue de Sèvres, Paris 6e

« Moi je m'appelle Calinours
et j'aime beaucoup faire les courses.
Je connais tous les marchands
dans les bois et dans les champs.
Moi je m'appelle Calinours
et je suis toujours content. »

« Bonjour mademoiselle l'abeille.
Je voudrais du miel. »
« Miéli miélo, en voilà un bon kilo. »

« Bonjour monsieur le hamster.
Je voudrais des pommes de terre. »
« Patati patato, en voilà un bon kilo. »

« Bonjour madame la tortue.
Je voudrais de la laitue. »
« Saladi salado, en voilà un bon kilo. »

Calinours n'a pas encore
dépensé tout son trésor.
Il continue son marché :

« Bonjour mademoiselle la fouine.
Je veux un sac de farine. »
« Bongati bongato, en voilà un bon kilo. »

« Bonjour madame la poule d'eau.
Je voudrais des berlingots. »
«Gourmandi gourmando, en voilà un bon kilo. »

«Bonjour mademoiselle souris.
Je veux un gros sac de riz.»
«Riquiqui riquoquo, en voilà un bon kilo.»

Enfin les courses sont faites,
la pièce d'or est dépensée.
Mais le panier est bien lourd,
Calinours est fatigué.

Il dit : « Ouf ! »
Il s'assoit, gros patapouf,
et s'endort comme un bébé

Calinours rêve à des choses,
mais pendant qu'il se repose,
monsieur le blaireau s'approche.
Il le réveille et lui dit :
« Calinours, écoute,
j'ai un beau chapeau,
un chapeau de bécassine,
si tu me donnes ta farine
tu peux avoir mon chapeau,
parole de blaireau ! »

Calinours met le chapeau,
c'est vrai qu'il est beau.
Adieu le sac de farine,
au revoir monsieur blaireau.

:t Calinours se rendort…
Aadame la perdrix s'approche,
lle le réveille et lui dit :
Calinours, écoute,
j'ai de jolies plumes,
donne-moi ton gros sac de riz
et tu pourras en prendre une,
parole de perdrix ! »

La plume est vraiment jolie.
Il la met sur le chapeau.
Tant pis pour le sac de riz,
à bientôt madame perdrix.

Et Calinours se rendort…
Quel gros paresseux!
Monsieur le dodu dindon
fait glou glou et le réveille:

« Calinours, écoute,
j'ai un beau nœud papillon,
si tu me donnes ta laitue,
à toi le nœud papillon,
parole de dodu dindon ! »

Adieu la laitue ;
c'est drôle un nœud papillon,
au revoir dodu dindon.

Calinours a faim.
Il sort le bon miel.
Miam, miam,
il a tout mangé.
Il sort les bons berlingots.

Miam, miam, il fait tout glisser
dans son petit ventre chaud,
ensuite il se lève, il reprend sa ro
Sur le chemin du retour
le panier n'est plus très lourd.

Voilà monsieur sanglier.
Il dit : « Calinours, écoute,
j'ai un gros nez comme les clowns,
c'est fait pour se déguiser.

Donne-moi vite
tes pommes de terre
et parole de sanglier,
tu auras mon nez ! »

Calinours va s'amuser.
Tant pis pour les pommes de terre.
Merci monsieur sanglier.
Oh! le beau nez rouge !
« Regardez », disent les oiseaux,
« Calinours a l'air d'un clown, qu'il est rigolo ! »

Calinours reprend sa route.
Voilà madame hirondelle.
« Oh ! le beau panier d'osier »,
lui dit madame hirondelle,
« je pourrais en faire un nid
pour inviter mes amis. »

« C'est moi qui l'ai fabriqu
dit Calinours,
« il est vide, si tu veux,
je te le donne. »

« Tu es gentil, Calinours »,
répond madame hirondelle,
« moi je te donne une pièce d'or
pour t'apprendre à l'être encore. »

« Merci madame hirondelle ! »
Calinours est bien content
et il repart en chantant :

« Moi je m'appelle Calinours
demain j'irai faire les courses.
Je connais tous les marchands
dans les bois et dans les champs.
Moi je m'appelle Calinours
et je suis toujours content,
parole d'ours ! »

Et en chantant sa chanson, il va couper de l'osier pour faire un nouveau panier. Au revoir cher Calinours.